台湾
スイーツレシピブック

若山曜子

現地で出会ったやさしい甘味

はじめに

旅が好きです。日本では食べることのできない
その土地のおいしいものを目一杯食べて、帰国。
その後も、久々に日本食が食べたい！とはならず、
ひたすら旅先で食べたものを、舌の記憶があるうちに試作したくなります。

私を突き動かす衝動の源は、
「まわりの人とあの味を共有したい、食べてもらいたい」
そんな気持ちからだと思っていたけれど、最近、単純に
「あのおいしいものの正体を知りたい！」という
好奇心だけではないかという気がしています。

台湾のおいしさは、今まで行ったことのある外国とはちょっと違いました。
インパクトのある新しい味というよりは、どこかホッとする味。また食べたくなる味。

でも、豆漿は豆乳に似ているけど違う。
煮豆もかき氷も、どこか違う。

その「ちょっと違う」が何なのか？
訪れるたびに、食べるたびに、好奇心がムクムクと湧き上がるのです。

数年前から、夫の仕事の関係で、台湾に滞在する機会に恵まれたこともあり、
大好きなお店に通いつめて、家で試作を重ね、私なりの日本で作る
「台湾スイーツレシピ」のストックを少しずつ増やしてきました。

今回、書籍のお話をいただいたことをきっかけに、改めてお気に入りのお店を、
台湾の友人たちと訪問し、こだわりを教えてもらうことができました。
そのこだわりこそが、私がわからなかったおいしさの秘訣。

一軒一軒を訪ねて、お店の人に話を聞く楽しさといったら、
まさに役得で、幸せ以外の何物でもありませんでした。
根掘り葉掘り質問しているうちに、「ここまでよ」と言っていた
厨房の入り口からどんどん中に連れて行ってくれたり、
最初は「秘密」だった作り方も踏み込んだところまで教えてくれたり、
たくさんの試食を用意していただいたこともあります。
いつも以上に、台湾の皆さんのやさしさと笑顔に触れる旅となりました。

台湾で食べるスイーツが、ホッとする味なのは、甘さが控えめで、
なじみのある材料や体にいいものを使っているからかもしれません。
でも、それだけではなくて、暖かな気候の中で台湾の人々の親切に触れ、
心が緩むからなのかなと思います。

家で台湾のおやつを作って食べる、素朴な甘みにほっとなごむひと時は
台湾で感じるそんな、ゆるやかな温かさ、やさしさと同じように思うのです。

若山曜子

CONTENTS

はじめに 02

豆花(トウファー)

レモン豆花 10
マンゴー豆花 11
ピーナッツ豆花 12
あずきの豆花 13
豆花 14
基本のシロップ 14

[豆花を楽しくするトッピング10種]
あずき 19
ピーナッツ 19
黒豆 19
緑豆 20
黒米 20
はと麦、金時豆 20
さつまいも 21
なつめ 21
黒糖ウーロン茶ゼリー 21

冷たいもの

黒糖かき氷 26
ミルクかき氷のマンゴーのせ 27
八宝氷 29
杏仁かき氷 30
杏仁ゼリー 31
台湾風もちもち杏仁豆腐 32
本格杏仁豆腐 32
パイナップルソルベ 34
梅のソルベ 34
ピーナッツソルベ 36
パパイヤミルク 38
スイカジュース 38
アボカドプリン 38
金柑レモン 38

QQ(キューキュー)

黒ごま、ピーナッツの団子 46

[湯圓(タンユェン)に合わせるスープ4種]
甘酒スープ 48
ピーナッツスープ 48
黒ごまスープ 49
黒糖しょうがスープ 49

[タピオカティー3種]
タピオカクリームチーズ抹茶 51
タピオカミルクティー 51
タピオカグリーンティー 51

タピオカパンケーキ 52
芋圓(ユーユェン)あずきスープ 54
さつまいもの揚げ団子 56

粉もの

パイナップルケーキ　60
台湾カステラ（プレーン）　62
黒糖コーヒーカステラ　65
チーズカステラ　65
ねぎクラッカー　66
ピーナッツクッキー　68
揚げごま団子　70
なつめの春巻き　72
中華揚げパン　74

朝ごはん

塩味の豆乳スープ　80
甘い豆乳　81
豆漿（ドウジャン）　82
台湾式卵巻きクレープ　84
窯焼き風パン　86

台湾の洋菓子

黒ごま油のパヴェ・オ・ショコラ　90
ジャスミンのムース　91

SHOP LIST　94
台湾で必ず買うもの　96
台湾スイーツ食材　98
TRAVEL INFORMATION　100

● 大さじ1は15ml、小さじ1は5mlです。
● バターは食塩不使用、生クリームは動物性で
　35％以上のものを使用しています。
● 電子レンジの加熱時間は600Wで使用した場合です。
● オーブンの焼成温度、焼き時間は
　ガスオーブン使用の場合です。ご自宅のオーブンに
　合わせて焼き加減は調節してください。

豆花のお店では、トッピングを指差し注文するのも楽しい。『庄頭豆花担』(P.94)は甘さ控えめで、たくさんのせたくなります。

『豆花荘』（P.94）で必ずのせたいのは、わらび餅のように透明感のあるお餅「粉粿（フンクェ）」。夏はシャーベット状のシロップでひんやり。

豆花

豆花。その耳慣れない食べ物との初めての出会いは、十数年前。

あまりいいものではありませんでした。

ひとり旅の台湾で、夜中に甘いものが食べたくなって立ち寄ったコンビニ。

深夜に甘いものを食べる罪悪感から選んだのは低カロリーの豆花で、

充填豆腐が甘くなったような、なんとも不思議な味だったのです。

それから何年も経って、夫が台湾駐在となっても、なかなか再挑戦することはありませんでした。

ところがある暑い夜、夫が頼んだのはシャーベット状になったシロップに「とぅるん」と白い豆花。

杏仁豆腐のようにも見えて、いかにもおいしそう。

ひと口食べてみて、豆花を誤解していた数年をすごく後悔することになりました。

豆花の「とぅるん」は、同じ大豆原料でも豆腐とは全然違います。

プリンとも、ゼリーとも異なり、すっと儚く消えていく。

飲み物より、ほんの少しだけ口と喉にとどまる、その数秒間がなんともおいしい。

シロップは薄いべっ甲色。さっぱりしてとてもよく合います。

シロップが「さっぱり」というのもヘンですが、これがすすっと飲める絶妙な薄さなのです。

トッピングは、好きなだけ選べるのが台湾流です。

私はピーナッツやあずきなどの豆類と、ゼリーっぽいプルンとしたもの。

本当に暑くて食欲がなければレモンだけをキュッとしぼっていただきます。

豆花は台湾のみずみずしいフルーツともよく合い、

これが豆腐との決定的な違いじゃないかと思います。

おいしいものがたくさんある台湾で、夏の長い滞在では好きなだけ

豆花を食べたけれど体重は変わらず、むしろ体調はいい感じ。

おいしいだけでなく、ヘルシーさも魅力です。

檸檬豆花
<small>ニンモントウファー</small>

レモン豆花 （作り方 P.15）

コーディネートをしてくれた汪ちゃんのお気に入り。大豆とレモン？と思いきや、夏にぴったりのすっきりとした豆花でした。シャーベット状のシロップやクラッシュアイスをのせて。

芒果豆花
<small>マンゴ ト ゥ ファー</small>

マンゴー豆花 (作り方 P.15)

台湾特産のとても甘いマンゴーをのせた豆花は、華やかなデザートのよう。とろけるような食感の重なりは、食欲のない時期にもぴったり。ほかに、いちご、スイカ、メロンでもおいしいです。

花生豆花
<small>ファ シェン トウ ファー</small>

ピーナッツ豆花 （作り方 P.15）

この本を作って、いかに台湾の人たちがピーナッツを愛しているかがわかりました。とても繊細な甘さとコク、じっくり火を通したときのやわらかさ。これを豆花と合わせるのが大好きです。

紅豆豆花
<small>ホンドウトウファー</small>

あずきの豆花 （作り方 P.15）

台湾スイーツに使うあずきは、少し甘さを控えめに煮ます。豆らしい素朴な味は、やはり素朴な豆花とよく合うから。気軽に食べたいときは市販のゆであずきを使い、シロップは薄めに。

豆花
トウ ファー

豆花は台湾の豆乳「豆漿」（P.82）を固めたもの。ここでは食用石膏（硫酸カルシウム）の代わりに、粉末寒天または寒天系のアガー、地瓜粉（さつまいもでんぷん）の代わりにコーンスターチで固め、常温でいただきます。60℃くらいまで溶けないので、シロップは冷たくても温かくてもどちらでもお好みで。

TAIWAN MEMO

本格豆花を作るなら

台湾では豆花を食用石膏と地瓜粉で固めます。台北の迪化街、日本ではインターネットなどで購入可能ですが、市販の豆乳と合わせて使うと少し苦みとざらつきを感じるので、食用石膏を使う場合は大豆をしぼった、手作りの豆漿（P.82）を使うのがおすすめです。

材料（豆漿350ml分）と作り方
ボウルに水50ml、コーンスターチ12g、食用石膏（硫酸カルシウム）小さじ1/4を入れ、豆漿（P.82）を入れる直前まで泡立て器でよく混ぜる。沸騰させた豆漿を高い位置から一気に注ぎ、混ぜずにそのままおいて泡を除く。固まったらラップをして冷蔵で保存する。

材料（3～4人分）
コーンスターチ　小さじ2
粉末寒天　2g
⇒または寒天系アガー（P.98）　10g
水　150ml
無調整豆乳　350ml

作り方

1　小さめのボウルにコーンスターチと寒天を入れ、混ぜ合わせる。分量の水から大さじ1くらいを加えてすぐによく混ぜ、鍋に入れる。
2　泡立て器でダマにならないよう混ぜながら、残りの水を少しずつ加える。
3　耐熱容器に豆乳を入れ、ラップをせずにレンジで1分ほど加熱する。
4　2を中火にかけ、ゴムべらで絶えず混ぜながら加熱し、半透明になってふつふつとしてきたら（**a**）、3を少しずつ加えて混ぜ、さらに1分ほど加熱する（**b**）。
5　熱いうちにボウルに入れ、スプーンで泡を除く（**c**）。冷めたらラップをして冷蔵で保存する。

基本のシロップ

材料（作りやすい分量）と作り方
小鍋にきび砂糖40～50gと水200mlを入れて混ぜ、中火にかける。砂糖が溶けたら火を止めて冷まし、保存瓶に移して冷蔵庫へ。保存期間は2～3日。
⇒長期保存する場合は、きび砂糖と水を1：1にして作れば、冷蔵で約1カ月保存可能。使うときは好みの甘さに薄めて使う

レモン豆花

材料（1人分）
豆花（P.14）　1人分
レモンシロップ　適量
⇒基本のシロップ（P.14）のきび砂糖をグラニュー糖に代え、レモン汁少々（分量外）を加えて作る。
クラッシュアイス（好みで）　適量
レモンのスライス　1枚

作り方
1　レモンシロップは凍らせてシャーベット状にするか、よく冷やす。
2　器に豆花を盛り、好みでクラッシュアイスをのせて**1**をかけ、レモンのスライスを添える。

マンゴー豆花

材料（1人分）
豆花（P.14）　1人分
マンゴー　1/2個
基本のシロップ（P.14）　適量

作り方
1　マンゴーは食べやすく切る。
2　器に豆花を盛り、**1**をのせ、シロップをかける。

ピーナッツ豆花

材料（1人分）
豆花（P.14）　1人分
ピーナッツのトッピング（P.19）　適量
基本のシロップ（P.14）　適量

作り方
器に豆花を盛り、ピーナッツをのせ、シロップをかける。

あずきの豆花

材料（1人分）
豆花（P.14）　1人分
あずきのトッピング（P.19）　適量
基本のシロップ（P.14）　適量

作り方
器に豆花を盛り、あずきをのせ、シロップをかける。

豆花の作り方（P.14）、トッピングの作り方（P.19〜）

豆花を楽しくするトッピング10種

台湾のお店では、ずらりと並んだトッピングから、好きなものを組み合わせてのせてもらえる楽しさも。おうちで豆を煮るときは、湯から豆が頭を出さないよう水を足しながら、のんびりコトコト煮てください。

※たっぷりの水とは、材料が水の中に浸っていて、さらに十分な水量がある状態のこと（材料の表面から指3本分が目安）。

あずき（冷蔵で2～3日保存可能）

材料（作りやすい分量）
あずき　100g　　きび砂糖　60g

作り方
1　あずきはたっぷりの水※からゆで、2回ゆでこぼし、ひたひたの水を加えて50分ほど煮る。
2　やわらかくなったらきび砂糖を加え、大さじ2くらいの水分が残る程度に10分ほど煮る。

ピーナッツ（冷蔵で2～3日保存可能）

材料（作りやすい分量）
生ピーナッツ　200g　　きび砂糖　70g

作り方
1　鍋に湯を沸かし、ピーナッツを入れて10秒ほどゆで、ざるにあげる。氷水にとって薄皮をむき、鍋にたっぷりの水※を入れてひと晩浸す。
⇒おつまみ用のピーナッツ（皮なし）を使う場合は、ひと晩水に浸して塩を抜き、作り方2でたっぷりの水※を入れて加熱する
2　中火にかけてふたをし、沸騰したら弱火にして1時間ほど煮る（または圧力鍋で15分ほど煮る）。やわらかくなったらきび砂糖を加え、大さじ2くらいの水分が残る程度に10分ほど煮る。

黒豆（冷蔵で2～3日保存可能）

材料（作りやすい分量）
黒豆　100g　　きび砂糖　60g
塩　ひとつまみ

作り方
1　鍋に半量のきび砂糖と水600ml（分量外）を入れて沸騰させ、洗った黒豆を入れ（全体が湯に浸らないようなら湯を足す）、ひと晩おく。
2　中火にかけて沸騰したら、弱火にして落としぶたをし、30～40分煮る。残りのきび砂糖と塩を加え、大さじ2くらいの水分が残る程度に10分ほど煮る。

19

緑豆 (冷蔵で2日保存可能)

材料 (作りやすい分量)
緑豆　100g
きび砂糖　60g

作り方
1　鍋に洗った緑豆とたっぷりの水※を入れて中火にかけ、沸騰したら弱火にして30分ほど煮る。
2　やわらかくなったらきび砂糖を加え、大さじ2くらいの水分が残る程度に10分ほど煮る。

黒米 (冷蔵で3〜4日保存可能)

材料 (作りやすい分量)
黒米　100g
きび砂糖　50g

作り方
1　鍋にさっと洗った黒米とたっぷりの水※を入れて中火にかけ、沸騰したら弱火で30分ほど煮る。
2　やわらかくなったらきび砂糖を加え、大さじ2くらいの水分が残る程度に10分ほど煮る。
⇒食べるときに軽く温めなおす

はと麦、金時豆 (冷蔵で3〜4日保存可能)

材料 (作りやすい分量)
はと麦、または金時豆　100g
きび砂糖　50g

作り方
1　はと麦、または金時豆は洗い、ひと晩水に浸す。
2　鍋に1とたっぷりの水※を入れて中火にかけ、沸騰したら弱火で20分ほど煮る。
3　やわらかくなったらきび砂糖を加え、大さじ2くらいの水分が残る程度に10分ほど煮る。
⇒はと麦は食べるときに軽く温めなおす

さつまいも (冷蔵で2日保存可能)

材料(作りやすい分量)
さつまいも　1本
はちみつ　適量

作り方
1　さつまいもはよく洗い、皮つきのまま8mm厚さの輪切りにして、大きければ半月切りにする。
2　鍋に1、かぶるくらいの水、はちみつ大さじ1を入れ、さつまいもがやわらかくなるまで煮る。味をみて、はちみつで甘さを加減する。

なつめ (冷蔵で4日保存可能)

材料(作りやすい分量)
なつめ(種なし)　100g

作り方
1　鍋になつめを入れ、たっぷりの水※を注ぎ、そのままひと晩おく。
2　中火にかけ、落としぶたをして弱火で30分ほど、水分がほとんどなくなるまで煮る。

黒糖ウーロン茶ゼリー (冷蔵で4～5日保存可能)

材料(約10×10×高さ3cmの容器1個分)
黒砂糖　50g
ウーロン茶(またはプーアール茶か水)　150mℓ
粉ゼラチン　5g
　水　大さじ1½

作り方
1　ゼラチンは分量の水にふり入れてふやかす。
2　小鍋に黒砂糖とウーロン茶を入れて中火で黒砂糖を溶かし、火を止め、1を加えて溶かす。
3　粗熱がとれたら、保存容器に流し入れて1時間以上冷やし固め、2cm角くらいに切る。

『北門鳳李冰』(P.94)のライチのソルベは、お腹がいっぱいでも食べたい絶品スイーツ。しゃもじでよそってもらう感じが好き。

永楽市場にある『顔記杏仁露』は杏仁ゼリーが名物。迪化街から歩いて疲れたときに、氷たっぷりのゼリーで涼をとります。

冷たいもの

台湾は沖縄よりもさらに南。6月くらいからは、10分も歩くとお店に入って
涼みたくなる。そんな気候です。だから、クリーミーなアイスクリームよりも、
シャリシャリとしたシャーベットやかき氷に惹かれます。

かき氷は普通の氷のほかに、ミルクや杏仁ミルク、黒砂糖を入れたものもあります。
糖分が入る分、氷はやわらかくなり、口の中ですっと溶けていく儚さがたまりません。
ミルク味の甘い氷には少しビターなものを、黒砂糖には
同じように滋味深い豆を合わせたり、少し甘酸っぱいマンゴーもよく合います。

私の最近のお気に入りは、杏仁かき氷。器に杏仁豆腐を入れてもらい、
そのうえにさらに杏仁風味のかき氷をこんもり。トッピングはなつめがおすすめ。
食べ進めて舌が冷えてきたころに、中からはまたやわらかな杏仁豆腐。
同じ杏仁の味を、食感も温度も違う2パターンで食べられるが、楽しいのです。
また、杏仁にはのどをうるおす効能があるとか。
美肌効果も期待できるので、紫外線の強い暑い夏の一押しです。

なぜ台湾で食べるかき氷はあんなにおいしいのかと考えてみると、
ひとつには、冷房のあまりきいていない、ほとんど屋外のようなところで
食べるからではないかと思うのです。
だから、家で作ったときも、少し窓を開けて。
外のちょっと暑い空気と一緒に食べると、一層おいしいかもしれないですね。

黒糖剉冰
(ヘータンツァービン)

黒糖かき氷
(作り方 P.28)

氷にもシロップにも黒糖を使っています。これだけでも滋味豊かな甘みでおいしいのですが、ここにマンゴーを合わせても。また、煮豆やさつまいもといった、素朴な甘さもよく合います。

芒果雪花冰
<ruby>芒<rt>マン</rt></ruby><ruby>果<rt>ゴ</rt></ruby><ruby>雪<rt>シュエ</rt></ruby><ruby>花<rt>ファー</rt></ruby><ruby>冰<rt>ビン</rt></ruby>

ミルクかき氷のマンゴーのせ
(作り方 P.28)

練乳と牛乳を使ったミルキーなかき氷に、たっぷりの甘酸っぱいマンゴー。「これを食べに台湾に行きたい」という人も多いのでは？ やや酸味のあるいちごで同様に作ってもおいしいです。

27

黒糖かき氷

材料（1〜2人分）
◎黒糖氷
　黒砂糖　大さじ2
　水　200㎖

◎黒蜜
　黒砂糖　大さじ3
　水　50㎖
　はちみつ　小さじ1
練乳　適量

作り方
1　黒糖氷を作る。材料を小鍋に入れ、中火にかけて黒砂糖を煮溶かす。火を止め、粗熱がとれたら製氷皿に入れ、凍らせる。
2　黒蜜を作る。材料をすべて小鍋に入れて中火にかけ、黒砂糖が溶けたら火を止め、冷ます。
3　1をかき氷にし、2、練乳をかける。

ミルクかき氷のマンゴーのせ

材料（1〜2人分）
◎ミルク氷
　牛乳　200㎖
　練乳　大さじ1
　水　50㎖
　グラニュー糖　小さじ1

◎マンゴーソース
　マンゴー（または冷凍マンゴー）　100g
　オレンジジュース（または水）　大さじ1
　水　50㎖
　グラニュー糖　大さじ2
マンゴー（食べやすく切る）　1個

作り方
1　ミルク氷を作る。材料を小鍋に入れ、中火にかけてグラニュー糖を煮溶かす。火を止め、粗熱がとれたら製氷皿に入れ、凍らせる。
2　マンゴーソースを作る。耐熱容器に分量の水、グラニュー糖を合わせ、ラップをせず、電子レンジで30秒ほど加熱する。冷凍マンゴー、オレンジジュースとともに、ミキサーにかける。
3　1をかき氷にし、マンゴーをのせ、2をかける。

『黒岩黒砂糖剉冰』（P.95）にて。黒糖の強い甘みが、マンゴーのとろける甘さとフレッシュな酸味でちょうどいいおいしさに。

八寶冰
バーパオピン

八宝氷（トッピングの作り方 P.19～）

老舗の氷屋さんで見かける、8種類の彩りの具材がのったかき氷。私は龍山寺にある『龍都冰果専業家』でよく食べます。これにエバミルク（無糖練乳）をプラスするのも好きです。

杏仁冰
シン レン ビン

杏仁かき氷

杏仁霜(キョウニンソウ)があれば簡単に杏仁風味の氷を作ることができます。おいしいだけでなく、薬膳の力でのどがやさしくうるおう作用も。あずきとなつめのほか、黒糖ウーロン茶ゼリー（P.21）のトッピングもよく合います。

材料（1〜2人分）
杏仁霜　大さじ1
グラニュー糖　大さじ1
水　150ml
牛乳　50ml
あずきのトッピング（P.19）　適量
なつめのトッピング（P.21）　適量

作り方
1　鍋に杏仁霜、グラニュー糖、分量の水を入れてよく混ぜる。中火にかけ、沸騰してきたら牛乳を加えて混ぜ、火を止める。粗熱がとれたら製氷皿に入れ、凍らせる。
2　器にあずきとなつめを入れ、その上にかき氷にした1を盛る。

杏仁凍
シンレンドン

杏仁ゼリー

日本ではあまり見かけない、すっきりとした透明感のある杏仁デザート。クラッシュアイスをのせて冷たく仕上げれば、ますますさっぱりします。食べるだけで、体の内側から涼を得られるデザートです。

材料（2〜3人分）

A
　杏仁霜（キョウニンソウ）　20g
　グラニュー糖　大さじ1
　粉末寒天　2g
水　300ml
クラッシュアイス　適量
基本のシロップ（P.14）　適量

作り方

1　鍋にAを入れ、泡立て器でよく混ぜながら、分量の水を少しずつ加える。中火にかけ、沸騰したら弱火にし、1分ほど加熱する。
2　ボウルに流し入れ、冷蔵庫で冷やし固める。
3　器に盛り、クラッシュアイスをのせ、シロップをかける。

台灣古早味杏仁豆腐
<small>タイワング ツァウウェーシンレントウフ</small>

台湾風もちもち杏仁豆腐 (写真上)

台北の老舗の台湾料理店『欣葉』では、杏仁豆腐が名物のひとつです。もちもちとした、ほかにない不思議な食感で、ひと口めは毎回びっくりします。その独特な味わいを再現しました。

傳統杏仁豆腐
<small>ツァントン シン レン トウ フ</small>

本格杏仁豆腐 (写真下)

杏仁から杏仁豆腐を作ってみたい人にはこちらがおすすめ。2種類の杏仁(P.33)を合わせて使うのが、より本格的です。花のような麗しい香りの杏仁豆腐をぜひおうちでも試してみて。

台湾風もちもち杏仁豆腐

材料（20×17×3cmのバット1台分）
杏仁霜（キョウニンソウ）　大さじ2
片栗粉　40g
グラニュー糖　大さじ1
水　300ml
アーモンドミルク（原材料がアーモンド
　のみのもの、または牛乳）　100ml
基本のシロップ（P.14）　全量
　⇒きび砂糖をグラニュー糖に代えて作る
フルーツ缶（あれば）　適量

作り方
1　鍋に杏仁霜、片栗粉、グラニュー糖を入れてざっと混ぜ、分量の水を少しずつ加え、そのつど泡立て器でよく混ぜる。
2　アーモンドミルクを加えてよく混ぜ、中火にかける。
3　大きく泡立ってきたら、ゴムべらで鍋底から大きく混ぜ、わらび餅のような質感になってから（**a**）、さらに1～2分火を通す。
4　バットにラップを敷き込み、**3**を流し入れ、上からもラップをかけて包み、冷めたら冷蔵庫で30分ほど冷やし固める。
5　食べやすく切って器に盛り、シロップをかけ、あればフルーツ缶を添える。

本格杏仁豆腐

材料（4人分）
北杏仁　15g　　　生クリーム　60ml
南杏仁　10g　　　粉ゼラチン　8g
　水　50ml　　　　水　大さじ3
グラニュー糖　80g　基本のシロップ
牛乳　200ml　　　（P.14、好みで）　適量

下準備
・杏仁2種は合わせ、分量の水に1時間以上浸す（**b**）。
・ゼラチンは分量の水にふり入れてふやかす。

作り方
1　準備した杏仁を水ごとミキサーにかけ（**c**）、グラニュー糖と水200ml（分量外）と一緒に鍋に入れ、中火にかける。
2　煮立ってきたら牛乳を加えてひと煮立ちさせ、温かいうちにふやかしたゼラチンを加えて溶かす。目の細かいざるなどでこす（**d**）。
3　ボウルの底に氷を当てて冷やし、とろみがついたら生クリームを加えて混ぜ、器に入れ、冷蔵庫で2時間ほど冷やす。
4　好みでシロップをかけていただく。

TAIWAN MEMO
南杏仁と北杏仁
南杏仁（写真左）はアーモンドに近く、味にコクと深みが、北杏仁（写真右）は香りが華やかでやや苦みがあります。インターネットや中華街で購入可。

鳳梨冰
フォンリービン

パイナップルソルベ（写真左）

果物がおいしい台湾。フルーティーなソルベやジェラートにたくさん出会えます。パイナップルと焦がした砂糖の組み合わせは、台湾では「懐かしい味」。華やかで大人っぽいおいしさです。

材料（2〜3人分）
パイナップル　300g（正味）
◎キャラメル
　グラニュー糖　30g
　水　小さじ1
熱湯　200mℓ
グラニュー糖　大さじ2
はちみつ　大さじ1

作り方
1　パイナップルはひと口大に切る。
2　鍋にキャラメルの材料を入れて中火にかけ、キャラメル色になってきたら(**a**)、**1**を加えてざっと混ぜる。分量の熱湯、グラニュー糖、はちみつを加え、弱火にして15〜20分煮る(**b**)。
3　粗熱がとれたらミキサーにかけ、保存袋またはバットに入れて凍らせる。食べる直前にほぐして器に盛る。

李鹹冰
リーシェンビン

梅のソルベ（写真右）

台湾の梅のソルベは塩けが美味。赤じその梅酢漬けを加えることで味が近づき、色もピンクに。梅酒はアルコールを飛ばしても、やわらかめに仕上がります。梅シロップでも作れます。

材料（2〜3人分）
梅酒　100mℓ
水　300mℓ
グラニュー糖　大さじ2
赤じその梅酢漬け
　（みじん切り、あれば）　小さじ½
⇒赤梅干しとともに梅酢に漬けられた赤じそのこと

作り方
1　小鍋に梅酒を入れ、中火にかける。沸騰したら弱火にし、分量の水、グラニュー糖を加えて沸騰させる。
2　あれば赤じそを加えて混ぜ、粗熱がとれたら保存袋またはバットに入れて凍らせる。食べる直前にほぐして器に盛る。

花生冰
ファーシェンビン

ピーナッツソルベ

『北門鳳李冰』(P.95)では、名産地・宜蘭(イーラン)のピーナッツを煎ってペーストにするところからスタートします。おうちでなら、ピーナッツバターでもおいしく作れます。意外とさっぱりしていて、ほんのりした塩けが後引く味です。

材料（1〜2人分）
ピーナッツバター（無糖、クランチ）　40g
きび砂糖　大さじ2
メープルシロップ　大さじ1
熱湯　200ml

作り方
1　鍋にピーナッツバター、きび砂糖、メープルシロップを入れて泡立て器でよく混ぜ、分量の熱湯を少しずつ加えてのばす。中火で1分ほど混ぜ、ピーナッツバターを完全に溶かす。
2　冷めたら保存袋またはバットに入れて凍らせる。食べる直前にほぐして器に盛る。

TAIWAN MEMO
宜蘭産のピーナッツ

台東の宜蘭は、ピーナッツの一大産地。粒が小さめで、果肉は真っ白です。味はコクがあり、後味がすっきり、見た目どおりきれいな味がします。写真のピーナッツは迪化街で購入。

パパイヤミルク　アボカドプリン　スイカジュース　金柑レモン

木瓜牛奶
ムーグァニューナイ

パパイヤミルク

台湾では定番のドリンクです。フレッシュなパパイヤのまったりした甘さがミルクに広がり、デザートにもなりそう。マンゴーやスイカでも。

材料（2人分）
パパイヤ　1個（正味300g）
牛乳　100〜150㎖
グラニュー糖　大さじ1〜1½
レモン汁　小さじ1

作り方
パパイヤは種を除いて皮をむき、ひと口大に切り、残りの材料とともにミキサーで攪拌する。

酪梨布丁牛奶
ローリーブウディンニューナイ

アボカドプリン

台湾独特の組み合わせ。甘みのもとになるプリンは『プッチンプリン』のようなゼラチンのプリを使います。濃厚なのでシェイクみたい。

材料（2人分）
アボカド　小1個
プリン（市販）　1個
牛乳　100㎖
水　100㎖
クラッシュアイス　適量

作り方
アボカドは種を除いて皮をむき、ひと口大に切り、残りの材料とともにミキサーで攪拌する。

西瓜汁
シーグァジー

スイカジュース

台湾のスイカ100％のジュース。果汁だけで十分に甘いので、注文するときは砂糖は「なし」で！　歩き疲れた暑い日に飲むとたまりません。

材料（2〜3人分）
スイカ　⅙個

作り方
1　スイカは皮を除き、ひと口大に切る。できるだけ種を取る。
2　残った種ごとミキサーで攪拌し、ざるなどでこす。

金桔檸檬
ジンジュニンモン

金柑レモン
きんかん

台湾の友人が教えてくれた金柑の砂糖漬け。はちみつレモンみたいに、金柑とグラニュー糖、はちみつを合わせてつぶして作ります。

材料（1人分）
金柑の砂糖漬け（下記参照）　大さじ3
レモン（またはライム）のスライス　2枚
水（または炭酸水）　100〜150㎖

作り方
グラスに金柑の砂糖漬けとレモンのスライスを入れ、水を注ぎ、混ぜながらいただく。

◎金柑の砂糖漬け（作りやすい分量）
金柑200gはへたを取り、横半分に切って竹串で種を除く。瓶に金柑、グラニュー糖80g、好みではちみつ小さじ1を入れ、すりこ木などでつぶす。ひと晩おいてなじませる。冷蔵庫で10日ほど保存可能。

夜市で見かけるいちごなどの飴がけ。酸っぱくて塩けのある梅が挟まったプチトマトは、一緒に食べるとクセになるおいしさ。

湯圓の名店『御品元傳統手工元宵』(P.94) で見つけたキンモクセイシロップ。花を摘むところから手作業だそうです。

QQ
キューキュー

台湾の食べ物屋さんで少なからず目につくのは「QQ」という文字。
そのまま「キューキュー」と読みます。

これは食感を表す言葉。もっちりとした様子を表しています。
日本人が好きな「もちもち」よりもやや歯ごたえがあり、
噛むと歯に若干の抵抗を感じるような食感かな、と私は解釈しています。

お団子、いも類を使ったおやつ、そしてタピオカ。
台湾の昔ながらのお菓子はいもでんぷんを使うことが多いのですが、
台湾とまったく同じ地瓜粉やキャッサバ粉などはなかなか手に入りません。
日本式に、片栗粉やコーンスターチで代用したので
少しやわらかめで、歯切れよく、どこか日本人向けの食感が
出来上がったように思います。

タピオカは日本でも台湾でも大ブーム。
おかげで、粒が大きいものも手に入りやすくなりました。
私はもともと黒糖と乳製品の組み合わせが好き。
今回おじゃました『Baroness 小黒糖』（P.95）のようにおしゃれなお店もいいけれど、
台北・公館にある『陳三鼎』の牛乳と黒糖タピオカだけの素朴な味も、
やっぱり好きです。

甘酒スープで

ピーナッツスープで

芝麻湯圓、花生湯圓

黒ごま、ピーナッツの団子

湯圓はいわゆるお団子のこと。丸い形が縁起がよいとされ、台湾では冬至に食べる習慣があります。あんとスープの組み合わせを楽しむ、台湾の人たちが大好きな、代表的なQQです。
(団子の作り方P.46、スープの作り方P.48〜)

黒ごまスープで

黒糖しょうがスープで

湯圓
<small>タンユエン</small>

黒ごま、ピーナッツの団子

台湾の糯粉は、日本で手に入りやすい白玉粉で代用しました。嚙むととろりと流れ出すあんは、台湾では常温で固まるラードを使いますが、ココナッツオイルを使い、やや軽く仕上げました。

材料（直径約5cmの団子9個分）

◎黒ごまあん
- 練り黒ごま　30g
- すり黒ごま　小さじ1
- きび砂糖　20g
- ココナッツオイル（またはラード）　15g

または

◎ピーナッツあん
- ピーナッツペースト（無糖、無塩）　30g
- きび砂糖　20g
- ココナッツオイル（またはラード）　10g

◎団子
- 白玉粉　120g
- 水　100mℓ

好みのスープ（P.48～）　適量

作り方（下の工程写真はピーナッツの団子の手順）

1　あんの材料（**a**）はよく練り混ぜる。ラップの上に広げて10cm四方にまとめ、包んで冷凍庫に15分ほど入れて冷やし固める（**b**）。

2　団子の材料を手で練り混ぜ、耳たぶくらいのかたさにする（**c**）。

3　1を9等分に切り、再度冷凍庫で冷やし固める。

4　2を9等分して平たい円形にのばし、真ん中をくぼませて3をのせ（**d**）、手早く包んで丸くまとめる。作業中にあんが溶けそうなら、適宜冷凍庫で冷やし固めながら行う。

5　たっぷりの湯でゆで、浮いてきたら出来上がり。好みのスープに浮かべていただく。

⇒ゆでる前の団子は冷凍保存できる

湯圓に合わせる
スープ4種

湯圓は温かくて甘いスープに浮かべて食べるのが一般的。どのスープもやさしい味わいで、お団子の中から出てくる熱いあんとの相性もバツグン。餅や白玉を浮かべるだけでもおいしい。

甘酒スープ

台湾の甘酒は「甜酒釀（ティエンジュウニイアン）」といい、酒粕に近く、酸味とアルコール分を感じます。その味に近づけるために、日本の甘酒に酒を加えてみました。

材料（1～2人分）
A
| 甘酒　150ml
| 水　50ml
| 日本酒　大さじ2～3
溶き卵（好みで）　1個分
キンモクセイのシロップ（あれば）　適量

作り方
小鍋にAの材料を入れてひと煮立ちさせ、好みで仕上げに溶き卵を流し入れて手早く混ぜる。あれば食べる直前にキンモクセイのシロップを加える。

◎キンモクセイのシロップの作り方
キンモクセイの花はていねいに花びらだけを摘み取り、水洗いし、茎とホコリなどの汚れをできるだけ除く。鍋に入れ、桂花陳酒（けいかちんしゅ）とグラニュー糖を同量ずつ加えてひと煮立ちさせ、グラニュー糖が溶けたら出来上がり。

ピーナッツスープ

ねっとりやわらかめに仕上げた豆花（トウファー）のピーナッツのトッピングを薄めて作ります。油條（ヨウティアオ）（中華揚げパン、P.74）につけて食べることも多いです。

材料（2～3人分）
ピーナッツのトッピング（P.19）　200g
水　150ml
きび砂糖　小さじ1～2

作り方
すべての材料を小鍋に入れ、10～15分煮る。

黒ごまスープ

黒いスープに、豊かなとろみをつけてくれるのはごはんのでんぷん。練り黒ごまを一部すり黒ごまに換えると、香ばしさがプラスされます。

材料（1〜2人分）
練り黒ごま（またはすり黒ごま） 30g
きび砂糖 15g
ごはん 20g
水 150ml

作り方
1 練り黒ごま、きび砂糖、ごはん、分量の半量の水をミキサーにかけて攪拌し、鍋に移す。
⇒すりごまを使う場合はざるなどでこしてから攪拌する
2 残りの水を加え、温める。

黒糖しょうがスープ

体がポッポと温まる、黒糖としょうがの組み合わせ。懐かしい味の組み合わせで、黒糖のコクのある甘みが団子の味にぴったりです。

材料（1〜2人分）
黒砂糖 50g
水 200ml
しょうがのスライス ½片分

作り方
すべての材料を小鍋に入れ、黒砂糖が溶けるまで、混ぜながら2〜3分煮る。

タピオカグリーンティー　　タピオカクリームチーズ抹茶　　タピオカミルクティー

珍珠奶茶
チェン　ヂュ　ナイ　チャー

タピオカティー3種

大人気のタピオカ。ゆでるときに水分を吸うので、味も色もバリエーションを広げられ、ドリンクアレンジは無限です。台湾では、マイストローを持ち歩いている人たちもいます。

タピオカクリームチーズ抹茶

クリームをたっぷりのせて、フラペチーノみたいに。クリームにはチーズの塩けを加えて。

材料（1人分）
◎チーズホイップ
　クリームチーズ　50g
　牛乳　大さじ1
　グラニュー糖　大さじ1
　生クリーム　100ml
　塩（好みで）　少々
A
　抹茶　小さじ1
　グラニュー糖　小さじ1
　熱湯　大さじ1
牛乳　100ml
ブラックタピオカの黒砂糖煮（下記参照）
　大さじ2〜3

作り方
1　チーズホイップを作る。耐熱容器にクリームチーズと牛乳を入れ、ラップをせずに30秒加熱し、グラニュー糖を加えてよく練り混ぜる。6分立ての生クリームに混ぜ、好みで塩を加えて混ぜる。
2　Aは合わせて練り混ぜ、牛乳で少しずつ溶きのばす。
3　グラスにタピオカを入れ、2を注ぎ1をのせる。

◎ブラックタピオカの黒砂糖煮（作りやすい分量）
鍋に黒砂糖120gと水100mlを入れて中火にかけ、沸騰したらもどしたブラックタピオカ（下記「タピオカのもどし方」参照）を入れる。5分煮て、そのまま冷ます。

タピオカのもどし方
鍋に湯を沸かし、ブラック（またはホワイト）タピオカ100gを一気に入れる（温度が低いと溶けることがあるので注意）。弱火で1時間〜1時間半、やわらかくなるまで煮て、ざるにとり水けをきる。
⇒または、炊飯器に熱湯とともに入れ、2時間保温状態にする。保存は冷蔵庫で。冷えてかたくなったら温め直せばOK

タピオカミルクティー

牛乳と黒糖で煮たブラックタピオカに、アッサムティーを濃く淹れて加え、後味はさっぱり。

材料（2人分）
アッサムティーの茶葉　大さじ1½
⇒アッサムティーのティーバッグなら3個
水　300ml
牛乳　400ml
ブラックタピオカの黒砂糖煮（左記参照）
　大さじ4〜6
氷　適量

作り方
1　小鍋に茶葉と分量の水を入れて沸騰させる。牛乳を加え、沸騰直前に火を止めて冷ます。
2　グラスにタピオカを入れ、氷を加え、1を注ぐ。

タピオカグリーンティー

緑茶と柑橘の風味は爽やかで、ホワイトタピオカ向き。抹茶入りの緑茶で色鮮やかに。

材料（1人分）
オレンジジュース（またはオレンジ果汁）　100ml
グラニュー糖　大さじ3
もどしたホワイトタピオカ（左記参照）
　大さじ4
氷　適量
冷たい緑茶　100ml

作り方
1　鍋にオレンジジュース、グラニュー糖、タピオカを入れ弱火で5分ほど煮て、そのまま冷ます。
2　グラスに氷と1を入れ、緑茶を静かに注ぐ。

黒糖珍珠鬆餅
<small>ヘン タン チェン チュ ソン ピン</small>

タピオカパンケーキ

台湾のカフェで食べて、好きになりました。ふわふわのパンケーキは紅茶と黒糖の風味。クリームもタピオカも黒糖風味なのですが、食感がいろいろなので飽きずに楽しめ、ボリュームがあるようで、ペロリと食べてしまいます。

TAIWAN MEMO
台湾のタピオカ
台湾で買ってきたタピオカをもどそうと水に浸したら、なんと溶けて消滅。台湾のものは沸騰した湯で一気にゆでないといけないそうなのでご注意を！

材料（1～2人分）
◎ホイップクリーム
　生クリーム　100ml
　黒糖ティーシロップ（下記参照）
　　大さじ1
卵　1個
食用油　小さじ1～2
⇒太白ごま油など香りのないもの
黒糖ティーシロップ（下記参照）　大さじ1
薄力粉　25g
ベーキングパウダー　小さじ1/4
レモン汁　小さじ1/2
グラニュー糖　小さじ2
ブラックタピオカの黒砂糖煮（P.51）　適量

◎黒糖ティーシロップ（作りやすい分量）
アッサムティーのティーバッグ1個に熱湯100mlを注いでギュッとしぼり、濃いめの紅茶を作る。黒砂糖50gと一緒に小鍋に入れ、とろみがつくまで中火で煮詰め、冷ます。

作り方
1　ホイップクリームを作る。生クリームはつのがピンと立つまで泡立て、黒糖ティーシロップを混ぜ、冷蔵庫で冷やす。
2　卵は卵黄と卵白に分ける。
3　ボウルに卵黄、食用油、黒糖ティーシロップを入れ（**a**）、泡立て器でよく混ぜ合わせ、薄力粉とベーキングパウダーをふるい入れてさらに混ぜる。
4　別のボウルに卵白を入れ、レモン汁を加え、グラニュー糖を少しずつ加えながら、つのがピンと立つまで泡立てる。3に加え（**b**）、さっくりと混ぜる。
5　フライパンを中火にかけ、4を2～3等分して直径約10cmの円形に流し入れる。ふたをして（**c**）弱火で2分ほど焼き、返してさらに1分ほど焼く。
6　皿に盛り、1とタピオカを順に重ねる。好みで黒糖ティーシロップ（分量外）をかける。

芋圓紅豆湯
ユー ユェン ホン ドウ タン

芋圓あずきスープ

芋圓は台湾の人たちが大好きな、タロいもやさつまいもを使った団子。もちもち感は、片栗粉の量でお好みに調節してください。スープに入れるだけでなく、豆花（トウファー）やかき氷のトッピングに欠かせません。

材料（3〜4人分）
◎ 黄色い芋圓
　焼きいも　½本（約100g）
　⇒さつまいもを洗い、濡れたままアルミホイルで包んで、予熱なしで180℃のオーブンで50分ほど焼く。
　市販の焼きいもでも可
　片栗粉　20〜25g

◎ 紫色の芋圓
　紫いもフレーク　30g
　水　70g
　片栗粉　20g
　グラニュー糖　小さじ2

◎ あずきスープ
　ゆであずき（市販）　400g
　⇒あずきのトッピング(P.19)を使用しても
　水　400㎖

作り方（下の工程写真は黄色い芋圓の手順）

1 芋圓を作る。黄色い芋圓は焼きいもの皮をむいて適当に切る。

2 それぞれの芋圓の材料を各ボウルに合わせて練り混ぜ、それぞれ20cm長さの棒状にし（**a**）、1.5cm幅に切る（**b**）。
⇒焼きいもの生地がまとまりにくい場合は、様子を見ながら水を少しずつ加えて練り混ぜる
⇒片栗粉（分量外）で打ち粉をしながら行う

3 たっぷりの湯でゆで、浮かんできたらざるに上げる。
⇒ゆでる前の芋圓は冷凍保存できる

4 小鍋にあずきスープのゆであずきと分量の水を入れて温め、**3**を入れてひと煮立ちさせる。

地瓜球
（ディグァチィゥ）

さつまいもの揚げ団子

夜市や屋台で見かける「地瓜球」。地瓜とはさつまいものことです。油っこく見えるかもしれませんが、意外と油を吸わず、もちもちとした食感がおいしいお団子です。

材料（直径3cmの団子約20個分）
焼きいも　1本（約200g）
⇒さつまいもを洗い、濡れたままアルミホイルで包んで、予熱なしで180℃のオーブンで50分ほど焼く。市販の焼きいもでも可

片栗粉　50〜60g
⇒手でまとめやすいかたさを目安に調整する

グラニュー糖　大さじ1
揚げ油　適量

作り方
1　焼きいもはスプーンなどで中身を取り出す（**a**）。
2　**1**に片栗粉、グラニュー糖を加えて粉っぽさがなくなるまで練り（**b**、**c**）、20等分して、直径約3cmの団子状に丸める（**d**）。
3　揚げ油を170℃に熱し、**2**を色よく揚げる。

粉もの

粉を使ったお菓子は、台湾にもいろいろな種類があります。
中華らしい揚げ菓子、ラードやごまを使ったもの、洋菓子風のものも人気です。

お土産としても人気のパイナップルケーキは、最近少しずつ本格化して、
洋菓子風のものが多くなってきました。
上質なバターをしっかり使ったり、昔は軽さを出すために冬瓜を混ぜていたあんも、
パイナップル100%をうたうお店が増えています。それはそれでおいしいけれど、
台湾らしいキッチュなパイナップルケーキも私は好きです。

最近、お店が増えている台湾カステラも、ルーツは洋菓子。
ふわっふわの生地は、シフォンケーキやジェノワーズに近いようで、
卵たっぷり、軽い味は台湾ならではです。
こんなに大きい！と思っていても、ついつい食べられるやさしさが
台湾のお菓子らしいなぁ、と思います。

揚げ菓子が多いのも台湾の特徴かもしれません。屋台や家庭料理でも、
揚げ物をよく見かけます。揚げ物は、手っ取り早く火が通り、腐敗を防げる調理法。
表面がサクサクとして、中はふんわり、とろりと仕上がり、
みんなが大好きなおやつがたくさん。

揚げ菓子で忘れてはならないのは 油條（中華揚げパン）。台湾をはじめ、
中華圏で広く見かける揚げパンで、おかゆのトッピングのほか、
甘いピーナッツスープや杏仁スープにつけたり、なんとさらにパンに挟んだり……。
大きいけれど中は空洞なので案外ペロリ。
油のコクとサクサクの食感で、台湾のやさしい味にニュアンスを加えてくれます。

土鳳梨酥
(トゥ フォン リー ズー)

パイナップルケーキ

パイナップルケーキの魅力は「角」にあります。型に生地を入れて専用の棒で押し、エッジを立てるのです。湿度の高い台湾で、サクッとしたおいしさを感じられる形には理由がありました。

材料（4.5 × 4.5 ×高さ 2.5cm のケーキ 10 個分）

◎パイナップルあん
- パイナップル　300g（正味）
- きび砂糖　60g

◎生地
- バター　100g
  ⇒半量を有塩バターにするとより本場の味に近づく
- きび砂糖（または粉砂糖）　40g
  ⇒きび砂糖はコクを出し、粉砂糖は食感をサクサクにする
- 卵　1個
- スキムミルク　20g
- ベーキングパウダー　小さじ½
- 薄力粉　150g
- コーンスターチ　大さじ1

下準備
- バターと卵を常温に戻し、卵は溶く。
- 型にバター（分量外）を塗る。
⇒アルミホイルで作る型（右下参照）の場合は不要

作り方

1　パイナップルあんを作る。パイナップルは1cm角に切ってきび砂糖をまぶし、鍋に入れて15分ほどおく。ざっと混ぜて20分ほど、焦げつきそうなら火を弱めて、中火で水分を飛ばすように煮詰める。粗熱がとれたらミキサーにかけ（**a**）、150gくらい（約半量）になるまで15分ほど煮詰める（**b**）。
⇒冷めたら冷蔵庫で冷やしておくと、作業がしやすくなる

2　生地を作る。ボウルにバターときび砂糖を入れ、ゴムべらで白っぽくなるまですり混ぜる。卵を少しずつ入れ、そのつどよく混ぜる。残りの材料をすべてふるい入れ、ゴムべらでさっくりと混ぜ合わせる。まとめてラップで包み、冷蔵庫で15分ほど休ませる。

3　**2**を10等分（1個につき約35g）にして丸め、ラップを敷いたバットなどの上に並べて（**c**）さらに冷蔵庫で20分以上冷やす。

4　**1**のあんを10等分（1個につき約15g）にして丸める。**3**の生地をめん棒で直径約10cmの円形にのばし、丸めたあんを中央にのせて包む（**d**）。
⇒やわらかい生地なので、めん棒でのばすときは下にラップ（またはオーブンシート）を敷き、できるだけ生地に触れずにラップごと生地を持ち上げて、あんを挟むようにして包む。生地がベタつくようなら、適宜冷凍庫で冷やしながら作業をするとよい

5　ラップを敷いた上に型を置き、**4**を入れて上にラップをのせ、上下から手または型専用の押し棒でギュッと押す（**e**）。型に入れたまま、冷凍庫で10分以上休ませる。天板にオーブンシートを敷き込み、オーブンを180℃に予熱する。

6　ラップをはずした**5**を型ごと天板に並べ、オーブンで8分ほど焼き、上下をへらなどで返してさらに10分ほど焼く。

7　触れるくらいに冷めたら、温かいうちに型と生地の間にナイフを入れて取り出し、冷ます。
⇒作った型の場合は、アルミホイルをカットして取り出しても

アルミホイルで作る型

アルミホイルを22cmほど引き出して切る。幅を半分に2回折り、さらに三つ折りにする（幅が2cmほどになる）。4.5cm角の正方形になるように折り、ホチキスでとめる。これを10個作る。

古早味蛋糕
グーザオウェイダンガォ

台湾カステラ（プレーン）
(作り方 P.64)

段ボールで作る型は火の当たりがやわらかく、湯煎焼きのようにしっとり焼き上がります。優しい食感と甘さは老若男女に大人気。当日はふわふわ、翌日はしっとりとしてまたおいしい。

台湾カステラ（プレーン）

材料（20 × 20 ×高さ7cmの型1台分）
食用油　60g
⇒太白ごま油など香りのないもの
薄力粉　90g
牛乳　60㎖
卵　6個
グラニュー糖　90g

下準備
・卵は卵黄と卵白に分ける。
・牛乳は電子レンジで30秒加熱する。
・下図のように段ボールで20×20×7cmの型を作り、ホチキスでとめる。オーブンシートを2枚、交差するように敷き込む（**a**）。
⇒オーブンに入れるので、テープは使わず（ついていたらきれいにはがす）、必ずホチキスでとめること。型は繰り返し使える
・オーブンを170℃に予熱する。天板はあれば2枚重ねる。

作り方
1　フライパンに湯を沸かし、大きめのボウルに食用油を入れて湯煎にかけ、60℃（指を入れてやや熱いと感じる）くらいに温める（**b**）。
2　湯煎からはずし、薄力粉をふるい入れ、泡立て器でしっかり混ぜる。
3　牛乳を2回に分けて入れ、そのつどざっと混ぜ、さらに卵黄を加えてしっかり混ぜる。
⇒混ぜ始めはかたいが、混ぜているうちにとろりとしてくる
4　別のボウルに卵白とグラニュー糖を入れ、泡立て器で持ち上げてつのが立ち、少しおじぎするくらいのメレンゲにする（**c**）。
5　**4**の¼量くらいを**3**に加えてしっかり混ぜ、**4**に戻し入れ、全体が均一になるよう泡立て器でさっくりと混ぜる。
6　準備した型に流し入れ、カードで表面を平らにならす（**d**）。
7　予熱したオーブンを160℃に下げて40～50分焼く。
8　焼き上がったら、やけどに気をつけて10cmくらいの高さから型ごと落とし、そのまま冷ます。

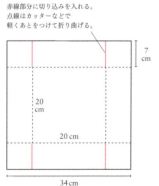

赤線部分に切り込みを入れる。
点線はカッターなどで軽くあとをつけて折り曲げる。

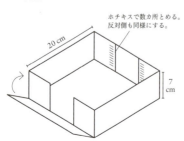

ホチキスで数カ所とめる。反対側も同様にする。

64

アレンジ
黒糖コーヒーカステラ

台湾カステラの専門店に行くと、いろいろなフレーバーがあります。私のお気に入りは黒糖。コーヒーを重ねてほろ苦さを加えてみました。

材料(20×20×高さ7cmの型1台分)**と作り方**
左ページの「台湾カステラ(プレーン)」の材料の牛乳に、インスタントコーヒー5gを入れ、電子レンジなどで軽く温めて溶かす。グラニュー糖のうちの50gを黒砂糖に代える。作り方**6**で粗く刻んだくるみと黒砂糖各適量を散らし、同様に焼く。

アレンジ
チーズカステラ

台湾でも人気の、甘じょっぱい味。焼いている途中で好みのチーズを加え、トップには粉チーズを散らして香ばしさも加えます。

材料(20×20×高さ7cmの型1台分)**と作り方**
左ページの「台湾カステラ(プレーン)」の作り方**6**で、生地を**8**割ほど流し入れたら、好みのチーズ(写真はピザ用チーズ。複数のチーズを使ってもおいしい)大さじ2～3を散らす。残りの生地で覆い、平らにならした表面に粉チーズ適量をふって同様に焼く。

青葱蘇打餅
<small>チンツォンスーダービン</small>

ねぎクラッカー

台湾では定番の青ねぎたっぷりのクラッカーは、スーパーにもいろいろなメーカーの商品が並ぶ、ポピュラーなおやつ兼おつまみ。オイルで簡単に作れます。クリームチーズをのせたり、ディップを添えても。

材料（5×5cmのクラッカー16枚分）
薄力粉　100g
塩　小さじ1/3
ベーキングパウダー　小さじ1/4
食用油　大さじ2
⇒太白ごま油など香りのないもの
牛乳　大さじ2
青ねぎの小口切り　30g
煎り白ごま　大さじ1

下準備
・オーブンを170〜180℃に予熱する。

作り方
1　ボウルに薄力粉、塩、ベーキングパウダーを入れて泡立て器でざっと混ぜる。
2　食用油を入れ、ゴムべらでそぼろ状になるまで混ぜる。さらに、牛乳、ねぎを入れてさっくり切るように混ぜ、ひとまとまりにする。
3　オーブンシートを広げ、**2**を置き、オーブンシートをのせる。上からめん棒で20cm角に伸ばす。オーブンシートをはずして16等分に切り、表面にごまをふって軽く押しつける。
4　予熱したオーブンで15〜20分焼く。

TAIWAN MEMO

**ヌガーの
ねぎクラッカーサンド**

台湾では、ねぎクラッカーにミルクヌガーを挟んだお菓子が大流行。特に『佳徳』のものが人気だそう。不思議な組み合わせですが、あちこちで売られているのでぜひもお試しあれ。

桃酥
タオスー

ピーナッツクッキー

中華菓子で親しまれるアーモンドのクッキーを台湾の人が大好きなピーナッツで作ってみました。サクサクほろほろと崩れる食感と、表面のひび割れが特徴です。バターでもできますが、ラードのコクが中華っぽくておすすめ。

材料（直径約6cmのクッキー22～24枚分）
ラード（またはバター）　70g
ピーナッツバター　15g
粉砂糖　70g
溶き卵　½個分（約25g）
中力粉（または薄力粉）　150g
重曹　小さじ⅓
ピーナッツ（皮つき）　22～24粒

下準備
・天板にオーブンシートを敷き込む。
・オーブンを170℃に予熱する。
・バターを使う場合は常温に戻す。

作り方
1　ボウルにラードとピーナッツバター、粉砂糖を入れ、泡立て器ですり混ぜる。空気を含んでふんわりしてきたら卵を少しずつ加え、そのつどすり混ぜる。
2　中力粉と重曹を合わせてふるい入れ、ゴムべらでさっくり混ぜる。
3　全体をまとめて直径3cmの棒状に整える。1cm厚さに切り、間隔をあけて天板に並べる。直径4cmほどに手で押し広げ、真ん中にピーナッツをのせて指でしっかり押し込む。
4　予熱したオーブンで10～12分ほど焼く。

芝麻球
(ヂーマーチィウ)

揚げごま団子

できたてを頬張ると、からりと揚がったごまがプチプチと香ばしく、ごま油を使ったあんは熱々（やけどに注意！）。実は、ごまの魅力を一度に楽しめるお菓子なのです。生地に薄力粉か上新粉を加え、歯切れよく。

材料（直径4〜5cmの団子10個分）
◎生地
　白玉粉　80g
　きび砂糖　10g
　薄力粉（または上新粉）　20g
　水　80ml

◎あん
　こしあん（市販）　100g
　ごま油　大さじ½
　すり黒ごま　小さじ1
煎り白ごま　50g
揚げ油　適量

作り方

1　生地の材料をボウルに入れ（**a**）、手でよく練り混ぜ（**b**）、10等分する。

2　別のボウルにあんの材料を入れ、よく混ぜて10等分する。
⇒すぐに使わない場合は冷蔵庫で冷やすと扱いやすい

3　**1**を手で平たい円状に伸ばし、中央をやや厚めにする。**2**をのせて包む（**c**）。

4　バットに白ごまを入れ、**3**を転がして表面にまぶす（**d**）。

5　揚げ油を160℃に熱し、**4**を入れ、こんがりと色よく揚げる。
⇒ときどき竹串で刺して穴をあけながら揚げると、破裂するのを防げる

棗泥炸春捲
（ザオニーチャチュンジュェン）

なつめの春巻き

「酸菜白肉火菜鍋」で有名な『囲爐（ウェイルー）』の、なつめあんのおやきをイメージ。外はカリッ、中はもっちりの食感を春巻きの皮で簡単にしてみました。砂糖は加えず、なつめの力強い甘酸っぱさだけで楽しめますが、台湾の甘いピーナッツ粉やきなこをかけると、香ばしくよりおいしくなります。

材料（6本分）
ドライなつめ（またはドライデーツ、
　種があれば除く）　90g（正味）
白玉粉　40g
　水　50mℓ
春巻きの皮（15.5cm角）　6枚
水溶き薄力粉　それぞれ小さじ1ずつ混ぜる
揚げ油　適量
ピーナッツ粉　適量
⇒きなこに好みの量の砂糖を混ぜたものでもOK

下準備
・鍋になつめとたっぷりの水を入れ、ひと晩おく（**a**）。

作り方
1　準備したなつめと水をそのまま中火にかけ、沸騰したら弱火にし、30分ほど煮る。やわらかくなったらミキサーにかけ、水分を飛ばす。
⇒緩いようなら鍋に入れて、ジャム状になるまで加熱して水分を飛ばす
2　白玉粉と分量の水を混ぜる。
3　春巻きの皮に大さじ1の**2**を横長に広げ、その上に小さじ1の**1**をのせる（**b**）。皮の両側を内側に折り込み、手前から巻く（**c**）。巻き終わりに、水溶き薄力粉をぬってとめる。
4　揚げ油を180℃に熱し、**3**をこんがりと色よく揚げる。油をきって皿に盛り、ピーナッツ粉をたっぷりとふる。

油條
<small>ヨウ ティアオ</small>

中華揚げパン

生地の寝かせ方、温度、成形のちょっとした違いで仕上がりが変わり、今回一番の難題となりました。でも、不思議とどれもおいしかったです。甘いスープや豆漿(ドウジャン)、お粥(かゆ)にのせたりもします。

材料（約10cm長さのパン4本分）
◎生地
　薄力粉　70g
　強力粉　30g
　塩　小さじ¼
　重曹　小さじ¼
　ベーキングパウダー　小さじ¼
　食用油　小さじ1
　⇒太白ごま油など香りのないもの
　水　60〜65mℓ
食用油　適量
揚げ油　適量

作り方

1　生地を作る。ボウルに薄力粉からベーキングパウダーまでの粉類を入れ、菜箸でざっと混ぜる。食用油を入れて（**a**）軽く混ぜ、分量の水を少しずつ加えて、そのつど手でこねる。生地につやが出て、ひとかたまりになったらラップで包み、常温で30分休ませる（**b**）。
⇒または、できれば冷蔵庫でひと晩休ませるとよくふくらむ

2　ラップを20cm四方くらいに広げたところに、食用油を薄くひく。手にも油をなじませ、**1**を置き、上面にも油を薄くぬる（**c**）。手で軽くふんわりのばし、三つ折りにする（**d**）。
⇒生地の空気を抜かないようやさしく扱う

3　めん棒で16×10cmくらいになるようのばし（**e**）、常温で10分ほど休ませる。

4　ラップを敷いた上に**3**を横長に置き、2cm幅に切る（**f**）。2枚1組になるよう重ね、上から包丁か菜箸で生地の真ん中をギュッと押さえつけて溝を作る（**g**）。

5　フライパンに揚げ油を2cm高さほど入れ、180℃ほどに熱し、**4**を軽くひっぱり、少しねじりながら入れる（**h**）。こんがりと色よく揚げる。

油條(中華揚げパン)は食感とコク、塩けをプラスするので、いろいろな料理の具材やトッピングになります。

オレンジピール入りの豆漿餅(ドウジャンビン)(豆乳パン)は大人気(上)。鉄板でパリッと焼けた蛋餅(ダンビン)(卵巻きクレープ/下)。

朝ごはん

ふだんは朝ごはんをたくさんは食べませんが、台湾滞在中は、
前の晩から翌朝何を食べようかなとそわそわ。

定番は豆漿。大豆をしぼったものなので、つまりは豆乳なのですが、
どうもニュアンスが違い、私は台湾のものならたくさん飲めるのです。
東京・品川区の五反田にありながら、台湾らしい豆漿を楽しませてくれる
『東京豆漿生活』でお話を聞いてみると、台湾の豆乳は豆を砕いてすぐこし、
その後煮ていきますが、日本ではいったん煮てからこすといいます。
日本式はおからごと加熱しているので豆の味が濃くなり、濃度は10%以上。
対して、台湾は7%ほどになるとのこと。
どうりで豆漿はすっきりして飲みやすいわけだ、と腑に落ちました。

さて、台湾の朝に話を戻しましょう。甘党の私は、まずはほんのり甘くて温かい
「甜豆漿」でひと息。次に、塩けのある「鹹豆漿」をすすりながら、
卵焼きを巻いたクレープ「蛋餅」や窯に張りつけて焼く熱々の「厚餅」をつまみます。
もうお腹は満たされているけれど、
お店を出るときには、冷たい甜豆漿までテイクアウトしてしまいます。

日本ではなかなか飲めないと思っていた、すっきりおいしい台湾の豆漿。
実はミキサーさえあれば、あとはこして、煮る時間は10分少々。
すっかり、我が家の朝の定番メニューになっています。

鹹豆漿
シェンドウジャン

塩味の豆乳スープ (作り方 P.83)

塩と酢に反応して豆乳がふわふわと固まり始めます。台湾の乾燥えび「蝦皮」はぜひ入れたいうまみのもと。ザーサイのほか、塩と醬油で炒めた切り干し大根を使うのもおすすめです。

甜豆漿
<small>ティェン ドウ ジャン</small>

甘い豆乳 <small>(作り方 P.83)</small>

茶碗に砂糖を入れて、温めた豆乳を注ぐだけ。一番オーソドックスで簡単な台湾式朝ごはんです。砂糖は混ぜて溶かしすぎず、少しジャリジャリした食感を残して飲むのが私のお気に入り。

豆漿
ドウジャン

豆漿とは台湾の豆乳のこと。豆乳を家で作るなんてできるのかしら？と思ったけれど、やってみたら意外と簡単。少量ずつ作るとこすのが楽だし、いつもできたてを飲むことができます。これで作る豆花(P.14)のおいしさは格別。こしたあとに残るのはもちろんおからなので、別に味わってくださいね。
トウファー

材料（作りやすい分量）
大豆　200g
水　1.6ℓ
⇒水は500㎖＋500㎖＋600㎖の3回に分けて加える

作り方
1　大豆は3倍量の水に浸してひと晩おく。指で簡単に割れるくらいになったら(**a**)、ざるに上げる（460gほどになる）。
2　ボウルに**1**と水500㎖を入れてミキサーにかけ(**b**)、さらに水500㎖を足してゴムべらで混ぜる。さらしかガーゼをあてたざるを鍋にセットしてこす(**c**、**d**)。
3　**2**を鍋に入れ、水600㎖を加え、強火にかける。沸騰しそうになったら中火にし、混ぜながら10分ほど煮る。青臭い香りが、豆腐のような甘い香りになったら出来上がり。
⇒30分くらいおいてからが飲みごろ。
できるだけ早く飲むほうがおいしい。冷蔵で2日ほど保存可能

塩味の豆乳スープ

TAIWAN MEMO

辣油

台湾で買うこの辣油は、とても辛くて山椒も利いています。朝の豆漿にはほんのひとたらし。麻婆豆腐などを作るのにもぴったりのスカッとする辛さが特徴です。『神農市場 MAJI FOOD & DELI』にて購入。

材料（1人分）
豆漿（ドウジャン）（P.82、または市販の無調整豆乳）
　200〜220mℓ
A
　ごま油　小さじ1
　長ねぎのみじん切り　大さじ1
　干しえび（あれば蝦皮（シャーピー））のみじん切り
　　小さじ1
　ザーサイのみじん切り　小さじ1
　塩　小さじ1/4
B
　黒酢　小さじ2
　熱湯　小さじ2
　　⇒豆漿を使う場合は不要
　薄口醬油　小さじ1
　塩（好みで）　少々

◎**トッピング**
　辣油（好みで）　適量
　中華揚げパン（P.74、好みで）の輪切り　適量
　　⇒トースターでカリッとさせる。
　　または天かすや焼いた油揚げ、クルトンなどでも
　香菜（シャンツァイ）（食べやすく切る）　適量
　青ねぎの小口切り　大さじ1

作り方

1 フライパンに**A**のごま油を入れて温め、残りの**A**を入れて炒める。

2 器に**1**と**B**を入れてよく混ぜ、トッピングの材料を用意する（**a**）。

3 小鍋に豆漿を入れて加熱し、しっかり沸騰したら火を止め、**2**の器に一気に注ぐ（**b**）。好みで辣油をふって、揚げパンを添え、香菜、青ねぎをのせ、固まってきたところをいただく。

甘い豆乳

材料（1人分）
豆漿（P.82、または市販の無調整豆乳）　200mℓ
きび砂糖（またはざらめ糖）　大さじ1

作り方
器にきび砂糖を入れ、沸騰直前まで温めた豆漿を一気に注ぐ。きび砂糖と混ぜながらいただく。

83

蛋餅
ダンビン

台湾式卵巻きクレープ

クレープのようで、もっともちもち。生地はよく練ってグルテンを引き出してから水で溶きます。具はスクランブルエッグが一番簡単でポピュラーですが、ハムや野菜炒めを巻いても楽しい！

材料（1本分）
薄力粉　30g
塩　ふたつまみ
水　60㎖
溶き卵　2個分
食用油　適量
⇒太白ごま油など香りのないもの
香菜（シャンツァイ）、辣醬（ラージャン）（または豆板醬（トウバンジャン））、醬油　各適量

作り方
1　ボウルに薄力粉と塩を入れてざっと混ぜ、分量の半量の水を加えて泡立て器でよく練る（**a**）。粘りが出てきたら、残りの水でのばす（**b**）。
2　フライパンに食用油を熱し、卵を流し入れ、スクランブルエッグを作っていったん取り出す。
3　フライパンに再度食用油を薄くなじませ、**1**を流し入れ、大きく広げる。
4　1分ほど焼いて全体に火が通ったら、**2**をのせ、手前から巻く（**c**）。
5　食べやすく切って皿に盛り、ざく切りにした香菜、辣醬、醬油を添える。

TAIWAN MEMO

辣醬

辛そうな名前ですが、さほど辛くはなく、このコクやうまみは台湾の味に欠かせません。特に蛋餅（ダンビン）には、香菜（シャンツァイ）とともにぜひ添えたい味。台湾では、スーパーなどで手軽に買うことができる調味料です。

厚餅
（シャオビン）

窯焼き風パン

中華風のナンのような薄焼きパン。人気のお店ではタンドールのような窯で焼いています。発酵はさせますが、フライパンにギュッと押しつけて焼けばいいので簡単。炒めたハムやベーコンを中に入れても。焼きたての熱々をぜひ。

材料（10×6cmの楕円形3個分）

A
- 薄力粉　50g
- 強力粉　50g
- ドライイースト　小さじ½
- グラニュー糖　小さじ1
- 塩　ひとつまみ
- 水　60〜70mℓ

青ねぎのみじん切り　大さじ2
塩　少々
食用油　適量
⇒太白ごま油など香りのないもの

煎り白ごま　大さじ2

作り方

1　Aをすべてボウルに入れ、よく練り混ぜ（**a**）、ひとまとまりにする。室温で夏は20分、冬は30分ほどラップをしておき、一次発酵させる（**b**）。

2　生地を3等分し、手で約20×6cmの平たい楕円形にのばす。

3　表面に食用油少々を塗り、ねぎを均等にのせ（**c**）、塩をふる。長さを半分に折り、ふちをしっかり押さえて閉じる。

4　フライパンを10秒ほど強火で温め、ごまを散らし、3を並べ入れる（**d**）。ふたをして10分ほど二次発酵させる。

5　そのまま中火にかけ、5分ほど焼く。焼き色がついてきたら火を弱め、返してさらに5分焼く。

朝ごはんのお店「秦小姐豆漿店」(P.94)。「燒餅」などの生地を目の前でカットし、焼いている様子が見えます。焼きたてがうれしい。

台湾の洋菓子

多くの人がそうだと思うのですが、台湾に行くからには
「台湾でなくては味わえないもの」を食べたくなります。
だから自分から、いわゆるフランスの洋菓子を食べに行くことはあまりありませんでした。
暑い国では乳製品の品質管理は難しいのでは？　と思い込んでいたこともあります。
でも、最近台湾の友人たちが「食べてみてほしい！」と教えてくれたのは、
本格的なフランス菓子のお店でした。実際に訪れてびっくり。
『Yu Chocolatier』（P.95）では、湿度の高い台湾でとても繊細なボンボンを作り、
注文を受けて作り始めるミルフィーユのパイは、軽やかでサクサク。
そして台湾らしさも忘れず、オリジナルの黒ごま油はしっかりと焙煎して
コクがあり、香りはナッティ！　これがチョコレートととても合うのです。
また、『Yu Chocolatier』と同じ高級住宅街にある『Quelques Pâtisseries』（P.95）には、
女の子ならだれもがわくわくするキュートなケーキがショーケースにずらり。
やはり、中には中国茶などを使った台湾らしいケーキがあります。
カフェスペースとしても人気があり、いつも満席と聞きました。
聞けばパティシエは2人とも、私と同じパリの製菓学校の出身。
フランス菓子の技法をきちんとふまえたうえで、黒ごま油やお茶、
台湾のフルーツなどを使い、台湾らしさを上手に取り入れています。
日本から台湾に出かけて、食べる価値が十分にある洋菓子。
うんと後輩の2人が誇らしく、すっかり刺激を受けて帰ってきました。

photo_ 陸品秀

黒ごま油の
パヴェ・オ・ショコラ

ごま油を使った生チョコです。『Yu Chocolatier』(P.95)では、オリジナルで開発した黒ごま油(P.97)を使い、美しいチョコレートで覆われたボンボンを提供していますが、ここでは簡単に、生チョコレートバージョンにしてみました。

材料（3×3cmのショコラ15個分）
チョコレート　150g
⇒クーベルチュールのミルク100g＋ダーク50gの割合がおすすめ
生クリーム　90ml
ごま油（あれば黒ごま油）　大さじ½
塩（あればフルール・ド・セル）　少々
ココアパウダー（無糖）　適量

下準備
・9×15cmのバットにオーブンシートを敷き込む。

作り方
1　チョコレートを刻み、ボウルに入れる。
2　生クリームを沸騰直前まで温め、**1**に注いでチョコレートをゆっくり溶かす。
3　溶けきったらごま油と塩を加えて軽く混ぜる。
4　バットに流し入れ、ラップをかけ、冷蔵庫で半日以上冷やし固める。
5　15個に切り分け、ココアパウダーをまぶす。

ジャスミンのムース

ホワイトチョコレートに、ジャスミンと金柑の香りを重ねるところが台湾風。金柑独特の甘酸っぱさが、まろやかなチョコレートとよく合います。爽やかなジャスミンの香りに代えて、入手しやすいジャスミンティーでアレンジ。

材料（直径7cmのプリン型4個分）
ジャスミンティーの茶葉　3g
　熱湯　50mℓ
牛乳　大さじ2
ホワイトチョコレート（チップ、または刻む）
　100g
粉ゼラチン　5g
　水　大さじ1½
生クリーム　100mℓ
金柑のコンポート（右記参照）　適量

下準備
・ゼラチンは分量の水にふり入れてふやかす。

作り方
1 ジャスミンティーの茶葉と分量の熱湯を合わせて蒸らし、大さじ2のジャスミン茶を耐熱容器にとる。牛乳を合わせ、ラップをかけずに、電子レンジで20秒ほど温める。
2 ホワイトチョコレートを加えて溶かし、熱いうちにふやかしたゼラチンを加えて混ぜる。
3 別のボウルに生クリームをピンとつのが立つくらいまで、泡立て器で泡立てる。
4 2の粗熱がとれたら3を加え、混ぜ合わせる。
5 プリン型に4を半分くらい流し入れ、金柑のコンポートを大さじ1ずつ入れ、残りの4を流し入れる。冷蔵庫で2時間ほど冷やし固める。
6 型から出して皿に盛り、金柑のコンポートをのせる。

◎金柑のコンポートの作り方
金柑はへたを取り、横半分に切って、竹串などで種を除く。鍋に金柑とひたひたの水を入れて中火で5分ほど煮る。金柑の半量のグラニュー糖を加え、弱火で15分ほど煮てそのまま冷ます。

SHOP LIST

この本を作るにあたり、もともと大好きだったお店に、お話を聞いたり、見学をさせてもらうことができました。台北に行ったらぜひ訪れてみて。

豆花

1. 豆花荘
オーソドックスな豆花専門店。寧夏夜市のすぐそばです。リニューアルしていますが、実は50年以上続く老舗。シャーベット状のシロップがうれしい。●台北市大同區寧夏路49號

豆花

2. 庄頭豆花担
ペパーミントグリーンの壁が目印の一軒家。珍しい、黒豆を使ったグレーの豆花もあります。どれも手作りならでの甘さ控えめの味わい。●台北市松山區市民大道四段73號

氷菓

6. 北門鳳李冰
素材の味を活かしたフルーツソルベのお店。名物はパイナップルソルベですが、ライチのソルベがおすすめ。お粥なども人気。●台北市大安區忠孝東路四段216巷33弄9號

氷菓

7. Double-V
オーナーはもともとパティシエで、イタリアンジェラートに魅了されたという方。台湾産のフルーツがその魅力を発揮している本格ジェラート。●台北市中山區林森北路85巷3號

湯圓

8. 御品元傳統手工元宵
通化街夜市にあるお店。うっとりするような喉ごしのお団子は、なんと4日もかけて完成します。キンモクセイシロップも買えますよ！●台北市大安區通化街39巷50弄31號

カステラ

12. 双連現烤蛋糕
ピカピカの厨房で卵を1つ1つ割り、ていねいに焼くカステラ屋さん。焼き立てだけでなく冷めてもおいしいのが、いい材料を使っている証拠。●台北市大同區民生西路103號

豆漿

13. 阜杭豆漿
大行列ですが、テイクアウトの人も多いので並ぶのは30分ほど。しぼりたて豆漿や窯で焼く厚餅、油條など、定番がどれも美味。5:30から営業。●台北市大安區忠孝東路一段108號

豆漿

14. 秦小姐豆漿店
メニューが多く、人気の朝食屋さん。プレーンのほか、ごまや杏仁風味の豆漿と、野菜炒めや卵焼きを挟んだ蛋餅などで、朝からお腹はいっぱい。●台北市松山區延吉街7號之6

3. 冰讃
4月から10月ごろ、マンゴーがある時期だけオープンします。普通の氷とミルク氷がありますが、私は普通の氷派です。夏には必ず寄りたいお店です。
●台北市大同區双連街2號

4. 夏樹甜品
迪化街で買い物中、歩き疲れたらこちらへ。基本的には杏仁豆腐のお店で、かき氷やスープなどのバリエーションがあります。支店も数店あり。
●台北市大同區迪化街一段240號

5. 黒岩黒砂糖剉冰
氷にも黒糖を使ったかき氷が名物。黒糖シロップには素朴な豆類もマンゴーもよく合い、どれを選ぶか悩んでしまう。ミルクかき氷などもあります。●台北市中山區錦州街195號

9. 臺一牛奶大王
台湾大学に近いスイーツ屋さん。50年以上の歴史があり、庶民的な台湾スイーツがずらりと並びます。学生さんたちの憩いの場のようです。
●台北市大安區新生南路三段82號

10. Baroness 小黒糖
おしゃれなタピオカドリンク専門店は台湾でも急増中。ここはお店でタピオカをまめにもどして煮込み、実直です。店先の猫もかわいい！
●台北市松山區南京東路三段335巷5號

11. 手天品社區食坊
自然食材を使い、すべてを手作り。パイナップルケーキなら、あんは無添加で、生地にはバターがたっぷり。パンやオリーブオイルのケーキも人気。
●台北市大安區潮州街188-1號

15. Yu Chocolatier
繊細なチョコレート菓子やケーキをカフェでもテイクアウトでも。黒ごま油を使ったボンボンオショコラには唸りました。●台北市大安區仁愛路4段112巷3弄10號

16. Quelques Pâtisseries
色とりどりのケーキが並ぶパティスリー。鉄観音やピーナッツなどを使った台湾ならではのものも。店内のかわいらしいサロンドでも大人気。
●台北市大安區安和路一段102巷23號

台湾で必ず買うもの

朝昼晩ごはん、それにおやつを食べて、台湾滞在中はいつも満腹。でも、買って帰るものは別。お土産に、自分のために、トランクいっぱい持ち帰って、旅の余韻を楽しみます。

『正義餅行』の花生酥（ピーナッツ落雁）

ホロホロとほどける繊細な食感とピーナッツの香ばしさが、後を引く澎湖名産の菓子。いろいろなメーカーがあるので、お気に入りを見つけて。

パイナップルケーキ

お気に入りはクラシックな冬瓜入りの『佳徳糕餅』のもの（写真右）。『オークラ プレステージ台北』は、かわいくて上品なおいしさ（写真左）。

『手天品社區食坊』の焼き菓子

小さなお店にていねいに作られた焼き菓子などがずらり。デーツにくるみを挟んだお菓子がお気に入りです。オリーブオイルのケーキもおいしい。

ドライフルーツ

高温多湿な台湾はフルーツ王国です。定番のマンゴーや、日本にはあまりない殻つきライチのドライを、おしゃれな食材店『PEKOE』や市場で。

タピオカ

スーパーで気軽に買えるタピオカ。表面が粉っぽい台湾製は水でもどすと溶けて消えてしまうので、必ず沸騰したお湯に一気に投入します。

ピーナッツ粉

砂糖入りのピーナッツパウダーは、香ばしさをプラスするトッピング。料理にもよくかかっていて、きなこのような味。こちらはスーパーで購入。

『御品元傳統手工元宵』のキンモクセイシロップ

通化街夜市の湯圓屋さんにて。ドライキンモクセイや、キンモクセイ入りの甘酒もあり、『神農市場 MAJI FOOD & DELI』などで買えます。

『信成』のピーナッツペースト

ごま製品専門店。ごま油にファンが多いお店で、私は、ごま油のほかにこの無糖・無塩ピーナッツペーストを。ピーナッツオイルも売っています。

龍眼とライチのはちみつ

台湾ではライチと龍眼のはちみつをリピート。いろいろ試していますが、どれも南国らしく華やかな香りで、ひとさじで極上のデザートに。

買い物リスト

蝦皮
揚げたり煎ってから料理に使うと、風味が際立ちます。サクッとしてうまみと塩味があり、鹹豆漿に欠かせません。市場や迪化街で購入。

ごま油
『PEKOE』と『Yu Chocolatier』がコラボした黒ごま油（左）は濃厚な香り。『細粒籽工房』の香油（右）は『誠品書店』などで手に入ります。

エシャロットのガチョウ油炒め
ガチョウの油で炒めたエシャロット。油漬けと油なしがあります。私は油を炒め物に使ったりビーフンやチャーハンの仕上げにたらすのが好き。

ねぎクラッカー
お土産の定番なので食べ比べるのも楽しい。ねぎの産地、宜蘭のねぎを使っているものも。クリームチーズを添えればおつまみにもぴったり。

『徳興茶業』のお茶
品質と価格のバランスがいい、迪化街に近いお茶屋さん。日本語の上手なご主人と、おしゃべりしながらの試飲も楽しいひとときです。

『天益』の製菓用品
迪化街ではストローやケーキ用パック（お菓子の持ち帰りに大活躍）などを買い込みます。パリで買ったマフィンカップもなぜかここで発見！

『ki 媽手工皂』の
リップバーム、ハンドクリーム
お土産リクエストの多いリップバームはダイダイが人気です。ハンドクリームはローズマリーの香り。オーガニックスーパー『天和鮮物』で購入。

『薑心比心』の
ジンジャーハンドクリーム
しょうがを主役に天然素材を使ったコスメの専門店。石鹸やクリームなどがそろい、どれもいい香り！『シーザーパーク台北』（P.103）に支店あり。

台湾柄の
マスキングテープ
つい長居してしまう文具店で、台湾のフルーツなどがプリントされたテープにひと目惚れ。お土産の包装などにも使いたいかわいさです。

買い物リスト

台湾スイーツ食材

本書のレシピで使用する食材のうち、台湾らしいスイーツの材料として欠かせないものをセレクトしてご紹介します。★マークの商品はP.99上の取り扱い店でオンラインで購入できます。

材料リスト

ホワイトタピオカ
タピオカはキャッサバ粉のでんぷんから作られ、ホワイトはそのまま乾燥させたものです。ゆで時間は基本的に袋の表示に従ってください。

ブラックタピオカ
ホワイトタピオカを乾燥させる前に、カラメル色素で着色。黒糖で煮込んだものをミルクティーに入れるのが人気で、本書ではパンケーキにも使用。

黒砂糖 ★
日本と同様に、昔からおやつには黒糖が使われてきました。台湾スイーツのやさしい甘さのもとにしたり、かけるだけでも。「八重山本黒糖」200g

きび砂糖 ★
こちらは種子島のもので台湾の甘味に近く、やさしい甘み。粒子が粗めなので、しっかり溶かしてシロップにします。「種子島産原糖」500g

杏仁霜（キョウニンソウ） ★
杏仁のお菓子を作るときに、手軽に手に入りやすいのはこちら。甜杏仁の種をパウダー状にしたものです。「ユウキ 杏仁霜」150g

アガー
豆花独特のツルンとした喉ごしはアガーで作ります。ただ、どのアガーでも固まるわけではなく、必ず寒天・海藻ベースのものを選んでください。

粉末寒天
少しホロッとした固まり方になるのが特徴です。海藻の味もほのかにするので、必要最低限の量を使いましょう。常温でしっかり固まります。

ドライイースト ★
ねぎパンに使用。最近は、予備発酵なしに粉に混ぜて使えるものが主流で、便利です。「サフ（赤）インスタントドライイースト」3g×10袋入り

ココナッツオイル ★
ラードを大量に使わなくていいよう、常温で固形を保つココナッツオイルを一部代用。25℃前後で液化します。「JAS有機ココナッツオイル」185g

ラード ★
台湾の焼き菓子のサクッとした食感やコク、そしてごまあんなどの深い味わいはラードによるもの。使ってみては？「雪印 純正ラード」250g

ベーキングソーダ ★
今回はクッキーと揚げパンに使いました。炭酸ガスで生地をふくらませ、独特の香ばしさも出ます。「重曹（ベーキングソーダ）」454g

ベーキングパウダー ★
生地をふくらませるための材料。体にやさしいアルミフリーのものを選んだ。「ラムフォード アルミニウムフリー ベーキングパウダー」114g

◎取り扱い店：TOMIZ
製菓・製パン材料のほか、アジアン・エスニックの食材も豊富に扱う材料と道具の専門店。https://tomiz.com/

材料リスト

紫いもフレーク★
色鮮やかな紫いもは、フレークが入手しやすく便利です。黄色いさつまいもより甘さが控えめ、食感も素朴。「紫さつま芋フレーク」150g

スキムミルク★
パイナップルケーキに使用。ちょっとなつかしい甘さになり、粉に混ぜ込むことで生地がサクッと仕上がります。「北海道スキムミルク」200g

白玉粉★
「QQ」に欠かせない、もちもちの生地を作るのに便利な米の粉。水に溶けやすいよう作られているので扱いやすいです。「特上 白玉粉」200g

はと麦★
豆花などのトッピングに使う雑穀です。薬膳ではヨクイニンとも呼ばれ、肌にいいといわれています。プチプチした食感。「はと麦（国産）」200g

あずき★
台湾でも懐かしいおやつに使われるあずき。市販のゆであずきを使う場合は、甘さ控えめなものを。「北海道産大納言小豆（トヨミ）」500g

緑豆★
小粒なので浸水なしで煮ることができます。小さいからこそのプチプチ、ホクホクした食感と甘みです。「緑豆（グリーンマッペ）」200g

黒豆★
お正月に煮るお豆と同じです。粒が大きめでねっちりと甘さが広がります。つやつやと大きいので映えるトッピングに。「丹波産 黒豆（特大）」200g

金時豆★
大きめの粒なのでしっかり水を含ませてから煮ます。ゆっくり煮れば、なんともぜいたくな大粒あんこの完成。「北海道産 大正金時豆」200g

大豆★
豆漿（豆乳）の原料。味の違いはしぼり方、加熱方法によるものなので、国産を使っても味は変わりません。「佐賀県産 フクユタカ（大豆）」1kg

黒米★
原種に近い古代米の一種。むっちりとした食感で、米らしい甘みもあります。薬膳でも広く使われている雑穀です。「黒米（岩手県産）」250g

生ピーナッツ★
台湾の人に愛される豆No.1。薄めの甘さにして、自然な味を楽しみます。圧力鍋で煮るとねっとりとした食感に。「生落花生（千葉県産）」130g

なつめ★
今回はドライを煮て使いましたが、お湯を注いで「なつめ茶」にしたり、そのまま楽しんでもいいですね。「乾燥なつめ（種抜き）」50g

TRAVEL INFORMATION

TRAVEL INFORMATION

TRANSPORTATION
台北のお店めぐりには

台北など都市部での移動には、地下鉄やバスなどの公共交通機関のほか、タクシーやレンタサイクルをスポットで利用することが多く、目的地や移動人数、時間帯などに応じて使い分けています。台湾内の南北の移動には新幹線（台湾高鉄）が便利です。

MRT（台北捷運）

台北市内の移動なら、都市交通のMRTがおすすめです。街中のあちこちに駅構内への案内標識があり、バリアフリーな設計で利用しやすいです。移動区間ごとに切符を求める方法は日本と同じ。駅の券売機で買えるデポジット式のカード「悠遊カード（Easy Card）」なら、割引もありお得です（右下参照）。

タクシー（計程車）

目的地から目的地への移動に便利なタクシー。台湾のタクシーは初乗り料金が安く、住所を書いた繁体字（現地の漢字）のメモを渡せば確実に目的地まで運んでもらえます。治安は日本並みによいですが、夜間は流しのタクシーや1人利用は避け、ホテルや飲食店で呼んでもらうのが安心です。

レンタサイクル（YouBike）

台北市政府交通局が推進している公共自転車レンタルシステム。レンタルする方法は2つ。1つは悠遊カード＋SIMフリーの携帯電話で、もう1つはクレジットカードで認証と支払いをする方法です。レンタル料は30分10元程度とお財布にやさしく、街中のあちこちに駐輪スポットがあるので、どこでもレンタルと返却ができて便利。また駐輪スポットはGoogleマップでも検索でき、専用のアプリをダウンロードして探すことも可。サドルが反対になっている自転車は故障中なので注意！

いろいろ使えてとっても便利！

移動に便利な悠遊カード

都市交通のMRTだけでなく、台北市街にあるレンタサイクルやタクシー、一部のコンビニやカフェなどで使える便利なプリペイドカード「悠遊カード」（Easy Card）。MRTの運賃が20％オフになり、残金が足りなくなれば券売機やコンビニでチャージもできます。

TRAVEL INFORMATION

FLIGHT
台湾へのフライト

台湾へは、日本各地の空港から台湾路線を運行するピーチを利用して現地入り。東京羽田から台北桃園までの空の旅は約3時間半と短く、快適に移動することができます。

ピーチのイメージカラーは目にも鮮やかなフューシャ。機体はもちろん、チェックインカウンターやスタッフの制服、機内に至るまで、スタイリッシュに配されています。

荷物について

機内持ち込みができる荷物の大きさ、重さ、個数は、
・3辺の合計が115cm以内
・手荷物合計7kg、2個まで
となっています。なお、チェックイン時に航空会社に預ける受託手荷物の大きさ、重さについては、シートタイプにより異なるため事前に確認をする必要があります。

FLIGHT INFORMATION

台北へのフライトは東京のほか、札幌、仙台、大阪、沖縄の5都市を結んでいます。さらに、大阪と沖縄からは台湾第2の都市高雄への便も運行しており、とても便利。航空券の予約／購入やお得なセール、キャンペーン情報などの詳細は、下記URLよりご覧ください。

●ピーチ
https://www.flypeach.com/pc/jp

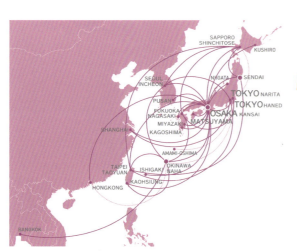

TRAVEL INFORMATION

HOTEL
台湾での滞在

今回、台湾スイーツを巡る旅の拠点に選んだのは、台北駅の目の前にある『シーザーパーク台北』。台北駅は建築物としても美しく、ホテルの窓から臨む駅の景色は圧巻でした。もちろん、空港からのアクセスはよく、地下鉄の駅にも直結しているので小回りのきく移動が可能。たくさんの食材を買い込むような方には、ちょっと荷物を置きに戻れるのはありがたいものです。また、長距離バス乗り場も近いので、このホテルを拠点に各地へ小旅行にでかけるのもおすすめです。

ホテルに戻るたびにうれしいのがホテルの中がアートにあふれていること。フロントもお部屋も壁に大胆なプリント。一室として同じものはないそうです。1階にはしょうがコスメの『薑心比心』、地下には『シーザーモール』もあり、最後のお土産ショッピングも万全。笑顔のスタッフとともに、帰るたびにほっとするホテルです。

台北駅の目の前という好立地。空港、観光地、人気スポットすべてにアクセスがいいのが最大の特徴です。観光客だけでなくビジネス目的、VIPの利用も多く、いつも活気に溢れています。
メインダイニングはブッフェ。朝食から台湾の伝統的な料理がずらり。スイーツにも力を入れていて、特にカフェタイムに行われるアフタヌーンティーでは上質な10種類ものお菓子とお茶の時間を過ごすことができます。また、MRTに直結する地下街には「シーザーモール」があり、デパート「新光三越」もすぐ近くなので、ショッピング環境も万全。チェックアウトも12時とゆったりで、時間を効率よく過ごしたい人が選ぶホテルといえます。

台北駅は目の前！

壁のアートも見どころのひとつ（写真上段）。「ステーションスイート」の窓の外には台北駅が（中段）。全478室の大型ホテル。リニューアルしたロビーはモダンだけれど台湾の伝統を感じる（下段右）。駅前の便利なロケーションにたたずむモダンな外観（下段左）。

● シーザーパーク台北
（台北凱撒大飯店／ Caesar Park Hotel Taipei）
https://taipei.caesarpark.com.tw/ja-jp

103

若山曜子 Yoko Wakayama

菓子・料理研究家。東京外国語大学フランス語学科卒業後、パリへ留学。ル・コルドン・ブルー、エコール・フェランディを経て、パティシエ、グラシエ、ショコラティエ、コンフィズールのフランス国家資格(C.A.P)を取得。パリのパティスリーなどで経験を積み、帰国後は企業のメニュー監修、雑誌や書籍、テレビなどで活躍。台湾に夫が2年ほど駐在し、台北のみならず各地の甘いものを食べ歩いた。著書に『アペロ フランスのふだん着のおつまみ』、『ジンジャースイーツ』(ともに小社刊)など。

台湾スイーツレシピブック
現地で出会ったやさしい甘味

2019年 8 月24日　第1版第1刷発行
2024年11月11日　第1版第6刷発行

著　　者　若山曜子

発 行 人　諸田泰明

発　　行　株式会社エムディエヌコーポレーション
　　　　　〒101-0051 東京都千代田区神田神保町一丁目105番地
　　　　　https://books.MdN.co.jp/

発　　売　株式会社インプレス
　　　　　〒101-0051 東京都千代田区神田神保町一丁目105番地

印刷・製本　TOPPANクロレ株式会社

Printed in Japan
© 2019 Yoko Wakayama. All rights reserved
乱丁・落丁本はお取り替えいたします。
本書記事・写真・図版などの無断転載・複製は固くお断りします。
定価はカバーに記載されています。

【カスタマーセンター】
造本には万全を期しておりますが、万一、落丁・乱丁などがございましたら、送料小社負担にてお取り替えいたします。
お手数ですが、カスタマーセンターまでご返送ください。

【落丁・乱丁本などのご返送先】
〒101-0051 東京都千代田区神田神保町一丁目105番地
株式会社エムディエヌコーポレーション
カスタマーセンター
TEL：03-4334-2915

【内容に関するお問い合わせ先】
info@MdN.co.jp

【書店・販売店のご注文受付】
株式会社インプレス　受注センター
TEL：048-449-8040／FAX：048-449-8041

ISBN 978-4-295-20315-5
C2077

撮影　福尾美雪
デザイン　福間優子
スタイリング　池水陽子
構成・取材　北條芽以
校正　かんがり舎
DTP　天龍社
PD　栗原哲朗（TOPPANクロレ）
アシスタント　尾崎史江、鈴木真代
　　　　　　　池田愛実、細井美波
現地通訳　Gladys Tsai
現地通訳・コーディネーター　汪欣慈、陸品秀

協力　Peach Aviation 株式会社
　　　Caesar Park Hotel Taipei 台北凱撒大飯店
　　　TOMIZ（富澤商店）
　　　東京豆漿生活

編集長　山口康夫（MdN）
企画編集　若名佳世（MdN）